Ralph Azham

1

Est-ce qu'on ment aux gens qu'on aime ?

Scénario & dessin : Lewis Trondheim

Couleur : Brigitte Findakly

DUPUIS

D.2011/0089/66 — R.10/2014.
ISBN 978-2-8001-4992-9

Imprimé en France par PPO.

www.dupuis.com

Un bon guerrier doit d'abord couper les points d'appui de son adversaire ...
KRRRRRRRRR...
Ouais... Vas-y!...
Fais-lui la manucure ...

Ouais ...
C'est joli mais ça sent à rien.

KRRRR...

Woooooh! Non, mec!
Pas moi!

Désolé, la bestiole, mais t'auras juste le droit de sentir l'odeur de mes pieds...

Un bon guerrier doit toujours combattre près d'un grand arbre.

OHÉ!! PIATCH!
KRRRRR
C'est quand tu veux pour m'aider!!!
Tu l'as super-excité, là....

Démerde-toi tout seul, Ralph.
T'as toujours été un boulet pour le village.
Eh!
Oh!
Des fois, j'aide vachement à débroussailler.

Et ça fait plein de petits bois... C'est cool pour démarrer le feu...
KRRRR

KRRRR

KRRRRR

Oooh !!
Ça va, toi!!
Tu veux quoi ?
Tu veux manger ?
Tu veux du bon miam-miam?

Allez! Viens!
Suis-moi!
Miam-miam!
KRRRRR...

Wouhou !
Par ici le miam-miam.

Et dépêche-toi, que je te rentre à l'étable avant que mon père ne crise.

WooooW... Vous allez vendre des meubles dans la basse vallée, m'sieur Béroux ?

On déménage, Ralph...
Bâh ?... Pour votre deuxième enfant, vous aviez la place pour vous agrandir ici...

Un deuxième enfant ?
On va avoir un deuxième enfant ?

C'est aussi pour cette raison que tu as tant insisté pour partir ?

On en reparlera plus tard...
Bon !!!

Tu n'apportes que le malheur, Ralph...

EH! BÉROUX, BARBE À POUX!!
C'est pas moi qui t'ai forcé à mettre ta crevette dans le sandwich !
Bon séjour chez les demeures d'en bas ! L'intégration sera facile !!!

Eh! Ralph!

Le patriarche te demande d'aller cueillir de l'euphorbe.
C'est pour quoi, cette fois ?... Il s'est fait piquer par un moustique ou c'est sa verrue qui revient?

Il a juste dit: tout de suite!
Est-ce qu'il a dit s'il te plait?

Bouge!
ok! ok... J'adore me sentir aussi indispensable à la communauté.

N'hésitez pas à m'appeler si vous voulez des cailloux ou des poignées de terre. Je connais plein d'endroits.

Toujours pareil ...
On fait une réunion secrète et on envoie le paria à une heure de marche.

Pas de bol, les gars!
J'ai la parade!

?

Ralph...
Je sais pas ce que tu veux mais la réponse est non...

Est-ce que je suis enceinte ?
!?

Mmm ...
Non.
Et je ne veux pas en savoir plus... Fiche-moi la paix !

Tu es sûr qu'il n'y a rien ?
Sûr !
Toutes mes félicitations ...

Eh ! Dis !! Pourquoi tu n'as jamais été dans la basse vallée ?
Avec ton don de voir le nombre d'enfants que les gens ont, tu pourrais t'y faire un paquet d'argent.

Ouais... Ou me faire tuer par ceux qui ne voudraient pas que je dise ce que je vois...

Ou me faire lapider comme étant sorcier ou porte-malheur.
Ou me faire rôtir trois jours comme étant charlatan ou menteur ...

Sans compter le fait que j'ai été bleui par la double lune et refusé à l'oracle de l'élu.
Le loser total...

N'importe... Allez... Je serai ton manager et on s'enfuit ce soir.
Si tu veux te barrer, vas-y avec ton amoureux.
Survivre ici, c'est déjà pas mal de boulot...
J'ose pas imaginer ailleurs.

Pour une femme, survivre ici est encore pire !

Bâh... Y a pire que ça... Tu pourrais être un poulet, un lapin ou un petit cochon de lait.

Mais peut-être que la Horde ne reviendra pas...
Isss... Régulièrement depuis mille ans, ils reviennent !!!

Il faut se battre, cette fois !
Non ! Ce serait la mort pour nous tous !
Donnons-leur tout ce qu'on a !
Et ils ne nous massacreront peut-être seulement qu'à moitié.
Cette perspective me retourne l'estomac.
À moi aussi...

Qui veut des petits biscuits ?
Moi !
Moi !
Moi !
Moi !
Moi !

Faisons comme Béroux ! Fuyons !
Jamais !
La vue est belle d'ici ?
!?
Allez ! Pousse tes jambes !

Hé !
Chut ! Tu vas te faire repérer.

Ils parlent de quoi ?
De la Horde !
Ouais... Comme d'hab.

Leur philosophie, c'est : il est urgent d'attendre.

Comme pour tous leurs prédécesseurs ! Et à chaque fois, on se fait ratatiner...

Sinon, je voulais dire, j'ai pas d'amoureux... C'était juste pour voir ta réaction... Embrasse-moi et barrons-nous d'ici.

Ton frère va me démolir la gueule si je t'approche.

Wahou !!...
C'est quasiment une déclaration d'amour, ça.
Dans tes rêves...

Embrasse-moi!
Laisse tomber, Claire.
Tu es une menteuse, une emmerdeuse et une manipulatrice...

Un tout petit bisou...
Non!
Arrête ça!

Tu ne t'échapperas pas, tu sais.
Arrête!

T'es vraiment grave lourde, Claire!
On est deux parias... On ira bien ensemble.
Non.

Euh...

J'ai l'euphorbe!
Tu as besoin d'autre chose?

Qu'est-ce que tu fiches avec ma soeur?
Rien!

biz...

On s'est embrassés!!
?!
Non!!

Et tu es mon prisonnier!!!

CHONK

J't'aurai !
HHH!!

J'ai rien fait !

Hé !
J'te dis que j'ai rien fait !
Tu vas voir ta gueule !

Oh ! Et puis merde !
Foutu pour foutu ...

Fous-moi la paix, Piatch !
CHONK

J'ai rien fait !
J'ai rien fait !
J'ai rien fait !
CHONK
CHONK
CHONK
CHONK
CHONK
CHONK

?
CHOP

!!!

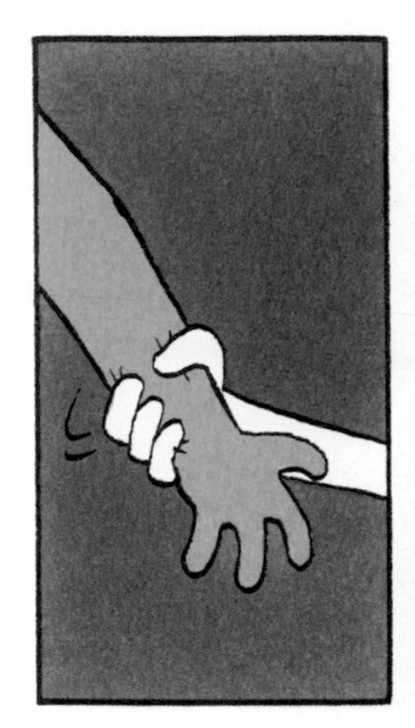

Outch!

?!

!!

Le laissez pas me taper... J'ai rien fait !!!

Il écoutait le conseil des sages et il a embrassé ma sœur !!

Tu es intenable Ralph!
Tu aurais dû être la fierté du village et tu en es la honte...
Nous allons devoir sévir.
Eh! J'ai une trop bonne idée! Si on oubliait tout ça et qu'on allait se boire une bonne bière à la taverne?

WoooO!
Doucement ...
Vous allez ranimer votre arthrite.

Hé!
Écoutez!
J'ai pas embrassé votre fille!

Laisse, Mathéo. Il sera puni par les lois du village...
Oh... Ça va, hein... Vous aussi, gamins, vous écoutiez les réunions du conseil.
Et en plus, j'ai pas embrassé Claire.
Si! Il l'a fait!
Il l'a fait!!

Attention! Courant d'air!

Piatch!!!

Ça va!
Il n'a rien.

J'exige une sanction immédiate pour ses méfaits.
Accordé!
Accordé!
Accordé!
Accordé!
Ok... Allez-y! Annoncez la sanction qu'on n'en parle plus...

Je veux qu'il soit enfermé et attaché durant deux semaines dans l'enceinte des porcs.
Accordé!
Accordé!
Eh! La dernière fois, c'était juste une semaine!
Et c'était pas ma faute non plus!!!

Insolent!!! Je veux un mois de porcherie pour Ralph!
Accordé!

Soyez rassurés, amis villageois. Les sages ont prestement condamné un innocent.
Et quand la Horde arrivera, ils seront encore à se demander s'il faut me nourrir avec du pain sec ou du pain moisi.
Dormez bien!

Insolent !!!

Saisissez-le et enfermez-le dans la porcherie pendant deux mois !

Je n'ai pas embrassé votre fille !
Et je l'ai encore moins déflorée !
Ce qui n'est pas le cas de quelques-uns ici...

3 fois elle s'est retrouvée enceinte !
3 fois d'un père différent !
Et 3 fois elle a été voir la vieille Milla et ses aiguilles pour avorter.

Je connais les noms des 3 pères ! Je les ai vus aussi nettement que vous voyez la merde sur les feuilles de chanvre quand vous vous torchez !!!

Alors, bande d'hypocrites, si vous me condamnez, il va aussi falloir s'occuper de ces 3 braves villageois !
Et un peu plus sévèrement !

Surtout les 2 qui font partie du conseil des sages...

Il ment !!!
Ralph ment !
Je n'ai jamais été déflorée... Il veut juste vous mettre dans l'embarras en profitant de son pouvoir.
C'est elle qui ment !

Moi ?
Mais je n'ai aucun intérêt à mentir.
Il n'y a que toi qui puisses y trouver un salut...
Pas du tout ! Je...

KBATCH

Désolé, P'pa !

Il y a à manger dans une poche...

Et un couteau dans l'autre...

On est tellement contents pour ton fils.

Oui... Moi aussi.
Ta femme, paix à son âme, nous voit, j'en suis sûr, et son cœur est empli de fierté.

Je me demande si ce n'est pas Églantine elle-même qui lui aurait envoyé ce présent.
Qu'est-ce que tu fais?
Tu pars?

On va dans les grottes.
Une dernière petite chasse aux pelasses avant que l'envoyé pour l'Élu ne soit là...

Eh!!! Tu n'as pas le droit!

Déguster des cerveaux de pelasses amoureusement cuits dans des braises alors que d'autres se tuent à l'ouvrage, c'est honteux.
Ha ha ha!
Vous vous tuez à l'ouvrage à force de lever le coude le soir à la taverne, oui...

Ha ha ha!
Bonne chasse...
Merci.

Dommage que ce ne soit pas la chasse aux cons, j'aurais moins loin à aller...

Je vais quand à Astolia?
Demain, mon poussin...

Un monsieur très gentil va venir te chercher...
Et après?

Il t'emmènera à l'Oracle pour voir si tu es vraiment l'Élu...
C'est un endroit sublime et merveilleux avec des colonnes et des statues de marbre, des mosaïques...
Il y aura des saucisses?
Euh... Sans doute aussi...

Et si je suis l'Élu, je devrai faire quoi ?
Je suppose que tu auras un don pour pulvériser une fois pour toutes les armées du seigneur Vom Syrus qui grignotent chaque jour un peu plus nos frontières.
J'aurai des éclairs qui jailliront des yeux ?
Ou je pourrai cracher du magma ?
On verra...
Ou je commanderai les nuages, le vent et la grêle.
Ou je pourrai faire pleuvoir des cascades de scorpions et de crapauds venimeux.
Descends de là ! Tu risques de tomber.
Ça va... Je sais nager.
Eh bin moi non !
Allez ! Tu me fiches la trouille. ... Descends !
Ne fais pas de bruit et avance un peu...
Normalement, il y en a...
On va jusqu'où ?
Là ! Tourne à gauche.
On va faire comment ? Le bébé va être protégé par ses parents...
BROM KRRRR BROLOMKRBRR
Attention !
?!
BRMLKRR
KRKBL

KRAKRRBRLL

Il y a un filet d'eau ici, si tu as soif...
Les autres finiront tôt ou tard par partir à notre recherche.

On ne devrait pas être coincés trop longtemps...
Et s'ils ne viennent pas?...

Ils viendront, sois-en sûr.
Pas pour moi mais pour toi...
Tu es le trésor du village...

Si ça se trouve, je peux pulvériser les rochers par la pensée...
Ha ha ha...
Vas-y, bonhomme.
On ne sait jamais...

GMN!
GN!

Alors... Peut-être qu'ils se sont déstructurés et qu'il suffit de les toucher pour qu'ils tombent en poussière.

Et hop!
Ah... Non.

Avec maman, vous avez eu un enfant avant moi?
?!

Zut... Quel maladroit...

Ça va...
Rien de cassé...

Bon...
Tu as faim...

Non!
Dégage!
C'est pas pour toi!!!

Dégage, je te dis!
Grouik!

En plus, c'est du saucisson de ton frère, idiot!

Tu n'étais pas né quand ta sœur est morte...
Après, on a déménagé et on est venus ici.
Ils avaient besoin d'un ingénieur pour la digue.

Elle était gentille?

Oui...
Comme toi, elle était gentille.
Et elle s'appelait Ralph, comme moi?

Non... C'était Rose. Et...
BASTIEN!
?!

OHÉ!
On est là!!

VOUS ÊTES À QUELLE DISTANCE DE L'ENTRÉE?
Euh...
Je dirais 20 ou 25 mètres!!
Venez sauver mon papa!!!

On va en avoir pour une bonne semaine à tout dégager!!!
L'Élu est là-dedans?
Oui... Vous pouvez attendre une semaine?

AAAH!
LES PELASSES! ELLES SONT DES DIZAINES ET ELLES NOUS ATTAQUENT!
AAAAAAH!
?!

Bastien!
Bastien!

Bon...

On va s'en sortir par nous-mêmes.
Ils en ont pour une semaine à tout dégager. Mais il peut y avoir d'autres éboulements.
C'est dangereux pour eux, tu comprends?

Tu ne veux pas qu'ils risquent leurs vies pour nous, n'est-ce pas?
Mais?
On va rater l'envoyé !!!
Ne t'inquiète pas pour ça.

Je sens de l'air par ici...
Il doit y avoir une ouverture...

Oui!... En creusant pour élargir, on devrait passer...
J'en ai juste pour un jour ou deux...

T'as peur des cochons?

Tu fais la gueule?

Je te délivre et on s'enfuit de ce bled pourri?

PLOTCH

C'est oui ?

Approche plus près... Je vais te le dire...

T'es un malade, toi...

Mais je reviendrai...

Wahou!
Comment je l'ai bluffée...

toutoudidou

douli lou libou

Ralph!
Si tu veux voir de l'herbe, des petits oiseaux et des saucisses, il faut me rejoindre.

Des saucisses ?
Ah non! Trop tard!
L'arbre à saucisses vient de s'envoler.

C'est pas la direction du village, P'pa...
Je me disais qu'on pourrait faire un saut dans la vallée voisine...
Tu sais, ils font les gâteaux-surprises que tu aimes... Ceux au miel, ou au poivre, ou à la confiture, ou aux insectes grillés...

Mais non... Au village, il y a l'envoyé qui m'attend ...
Ralph... Ça fait deux jours qu'on est coincés... Il a dû repartir ...

Il faut le rappeler!! Il faut le rappeler!!!!
On a le temps... Allez... Viens...

Naaaaaah!!!... Je veux retourner au village...
Bouhoouoouu huk! Bouhou...
Huk!
Huk!

Huk!
Huk!
BOUHOOUUU!
Huk!

Bouhoooouuu! Huk! Huk!

C'est bon. C'est bon.
On va au village...
Bouhoooou!
Huk!

Qu'est-ce qu'ils fichent ?

La fête de la nouvelle conjonction, c'est demain.

Chais pas... Ils viennent peut-être de découvrir qu'ils n'ont pas de cerveau et ils se suicident tous... Ou alors, ils viennent d'inventer la Fête du slip...
Mmm ...

Pourquoi tu ne t'es pas enfui ?

T'es fou... Je serais banni et je ne pourrais plus jamais revenir te voir...
Mmm ...

C'est ce que tu veux ? ...

Bastien!

La Horde !!!
!!
!

La Horde arrive ?
Non... Ils sont dans la basse vallée, pour l'instant.
Viens!

Ils ont chopé les Béroux il y a 2 jours. Le petit a pu se sauver et revenir seul sur sa bestiole.
La population panique.
Le patriarche voudrait savoir si on a le temps de construire un piège...

Le pouvoir de dire combien d'enfants on a ?
Ça ne va pas beaucoup aider contre Vom Syrus... Ni contre quiconque d'ailleurs.

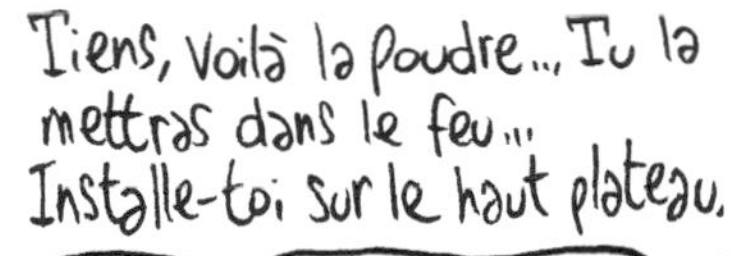
Tiens, voilà la poudre... Tu la mettras dans le feu... Installe-toi sur le haut plateau.

Entendu!
Longue vie au royaume d'Astolia.

Longue vie!!

Longue vie au royaume d'Astolia!
Longue vie!

Il est là!
Il est là!

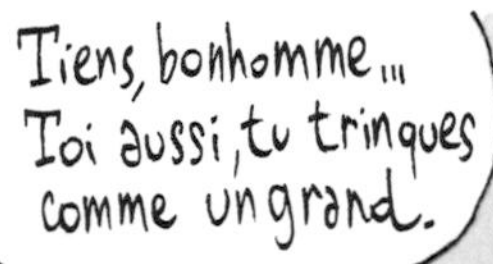

Tiens, bonhomme... Toi aussi, tu trinques comme un grand.

Allez! Cul sec!

Et accroche ton sac comme il faut... Ce serait trop bête qu'il tombe...

Longue vie à Astolia!!!

Ok... C'est lui?
Il s'appelle Ralph.
Ok... On y va, petit.

Si ce n'est pas lui l'Élu, vous me le ramenez quand?
Vous inquiétez pas.
FFFFFFF

Ce sera l'Élu! On aura besoin de lui.

Ralph... Je te mets un autre sac avec des affaires de rechange...

FLAP
FFFFFFFF

Longue vie au royaume d'Astolia !

Le plus simple serait de faire le piège ici...
Juste avant l'entrée du village...

On empile des rochers d'un côté du goulet pour les obliger à passer dans un espace d'une largeur de quatre brassées...

Une fois qu'ils sont engagés, on fait dégringoler des gros blocs du haut de la ravine...

Et s'il y a des survivants ? On n'a aucune arme...
Et si on ne lance pas les rochers à temps ?...
Et s'ils s'aperçoivent du piège avant ?

Tout ce que je peux vous dire, c'est que si vous voulez ce piège, il faut commencer la construction cette nuit.

J'ai l'impression que ça peut valoir le coup de se battre...

Non, non !! Trop dangereux !

On a un ingénieur avec nous cette fois. Il faut combattre !

Filons-leur nos ressources et fuyons sur le plateau !

Je...
Je ne sais pas...

C'est peut-être pas à nous de décider...

Je demande une votation...

Votation !!
Votation !

Votation !

Votation !
Votation !

Pour le piège, mettez-vous à l'est...
Contre, à l'ouest.

Comptez-vous !

18 !
18 !

Égalité... La victoire revient au camp du patriarche. Il n'y aura pas de...
Euh...
Objection !!
Il manque un votant !
?

Oh non...
Pas lui...

C'est le petit Béroux?
Il va bien?
La vieille Milla lui a donné des plantes pour dormir.
Mais il irait encore mieux si tu t'éloignais.
Ralph!!

De mon côté : contre le piège.
De l'autre : pour le piège.
Choisis!

Ouais... OK... Je vois.
Le truc idéal pour me faire détester par la moitié du village.

Le premier qui me lèche a gagné...
Ralph!
C'est sérieux.

Le premier qui me lèche a gagné.

Lèche-le, Piatch!
Hé!
Non!

Lèche-le! C'est un ordre!
Mais, p'pa...

Urgl!
Discute pas!

Si tu veux, tu peux le lécher...
Tu veux rire?
C'est un mélange de boue, d'urine et de merde de porc...

Voilà!
On construit le piège!

Très bien... Apportez des barres de fer, des leviers, des pioches, des pelles et des rondins.
On va d'abord créer un goulet en bas...
Pteu!

Je ferai rien du tout... La Horde va nous massacrer si on montre une résistance.

La Horde va recevoir une raclée et à Astolia, ils seront fiers qu'on ait écrasé les francs-tireurs de Vom Syrus.
Je ferai rien...
Mortimer, le village a voté.
Tu veux retourner avec Ralph chez les porcs?

Ralph ne retourne pas dans la porcherie. J'ai besoin de tous les bras disponibles.
Même ceux des femmes!
Allez! Exécution!

Toi, tu vas voir dès que ce sera fini...
J'ai rien fait...

J'ai rien fait!...

Merci... Ce sera le dernier ...

Eh! En bas!!
Coupez des arbres et mettez-les au milieu des rochers. Et que ça fasse naturel...

Quelles nouilles!...
À la verticale! Mettez-les à la verticale!

Tiens...
La journée a été longue ...

Astolia, c'était comment?

Noir ...
Tout noir ...
D'un noir sombre et profond... Comme des ténèbres obscures noyées dans de l'encre au fin fond du trou de balle d'une limace géante ...
Ah bon?

Mais non... J'en sais rien. Je dormais quand je suis arrivé.
Et là-bas, j'avais les yeux bandés et les mains liées.
Mais dire ça, c'est moins classe.

Mais peut-être que je mens parce que je ne veux pas faire profiter la saloperie que tu es des merveilles que j'ai vues.

Ouvre ta bouche et mange.

Quand est-ce que je n'aurai plus mon bandeau?
Demain.

Ça y est! Je suis l'Élu?

Non... Demain, on te ramène chez toi...

Belz, Yani, vous montez la première garde... Et ne balancez les rochers que lorsqu'ils sont tous engagés dans le goulet.
Et pour la fête ce soir?
Il y a des traditions à respecter et à honorer...

Vous inquiétez pas... Vous serez relayés pour pouvoir honorer la digne tradition du pochtronage ...

Dis...
Quand on m'a ramené d'Astolia, tu as été déçu?
Non...

Il a dit quoi exactement, l'envoyé?
Rien... Je ne l'ai pas vu.
Un soir, je t'ai retrouvé à l'endroit d'où vous étiez partis...

Bastien... Tu veux qu'on aille boire quelques pintes pour... oublier tout ça?
Merci, Mathéo.
Il faut que je veille sur lui et que je le console...

Il faut que je te ramène à la porcherie, Ralph...
Oui, oui... Je sais...

POK
!?

Aïe!
Outch!

J'ai pas peur de toi !!
Eh!!! Mais ça va pas ?!
Ne traine pas, Ralph.

Tu m'as fait mal.
C'était le but.
À cause de toi, mes parents sont morts.

Eh, Raoul!... J'y suis pour rien. S'il te faut un responsable, c'est pas moi.
Tu les as insultés!
Oh... Ça va... Eux aussi.

Et puis tes parents ont bafoué la loi... Ils allaient avoir un 2e enfant alors que leur métier leur interdit d'en avoir plus d'un...
C'est pas vrai!

Je te déteste!
Tu n'es pas le premier.

Mais tu es le premier qui vise aussi bien.

Et dans 5 ou 6 ans, tu lanceras encore plus loin.
Il faudra que je me méfie un peu plus.

Bonsoir, bonsoir...
Ne vous occupez pas de moi... Je vais à la porcherie direct.

Bonsoir ♫
Je ne fais que passer...

Je vais aller rigoler avec mes copains cochons.
Pas de panique!

Je prends juste un des gâteaux-surprises.

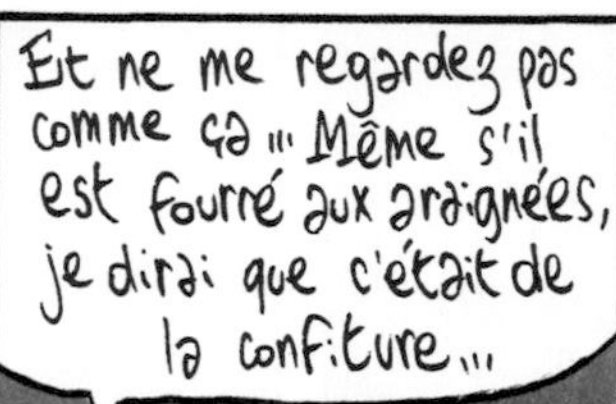
Et ne me regardez pas comme ça... Même s'il est fourré aux araignées, je dirai que c'était de la confiture...

KRRR KR KRRR KRR
BROM BOM BOM BROM
!?

Eh!
C'est pas moi...
Le piège!!

Ne fuyez pas!!!
Prenez des bâtons, des pioches, des haches! Il faut achever les survivants.
Aaaah!

?

Qu'est-ce que vous fichez déjà ici?
Mortimer a dit qu'il nous remplaçait.

Mortimer?

!!!
Non...

Y a personne !
Raoul a été touché !

MORTIMER !!!
Je sais que c'est toi !
?

Qu'est-ce que t'as fichu ?

Je vous ai tous sauvés !!!

MORTIMER !!
MORTIMER !
Je l'emmène chez la vieille Milla !

Bonne nouvelle !
C'est Mortimer le nouveau paria du village !
Il a déclenché le piège exprès pour rien.

Madame Milla !
Madame Milla !

Je suis là...
J'attendais la conjonction...
Tu sens ce parfum électrique et soyeux dans l'air ?

Euh ...
Bâh... Je comprends jamais rien de ce que vous dites, alors...

Tu es un bon gars, Ralph... Ne laisse pas la vie te détruire, d'accord ?
Euh... Ouais... Bien sûr ...

Et puis un petit plongeon dans la rivière de temps en temps, ça ne te ferait pas de mal...
Oui... Mais je suis grave puni et je vis chez les porcs...

Ralph... Même s'ils ont des manières de rustres, ne parle pas des gens du village comme ça...
Allez... Pose-le là...

C'est quoi ce petit bobo de rien du tout ?
Bé... Il s'est quand même pris 2 ou 3 tonnes de rochers sur la tronche ...
Ou pas loin...

Mmm ...

Je crois qu'il s'est juste vautré en courant.
Quelques capitules d'arnica et il aura une moins grosse bosse.
Ah... Cool...

Euh...
Non.
Pas cool...
Y a un truc qui va pas, là...

Holalaaa...
Et puis moi, j'ai la tête qui tourne.
Ça doit être le gâteau-surprise ...

Ce sont les lunes.
Assois-toi là et ne bouge pas.

Ça va mieux ?

C'est normal tous les trucs qui flottent autour de vous.
?
De quoi tu parles?

Je...
Je vais prendre l'air.

Ralph?

Ah... Tu es là... Demain, on reconstruit le piège... Mais le patriarche n'est pas d'accord pour que tu dormes à la maison... Il faut que je te remette à la porcherie.
Avec Mortimer?

Non... On ne l'a pas retrouvé.
?

Whaaa... Vous avez cherché avec l'envoyé ?!
Hein?

Astolia va nous aider contre la Horde ?
Astolia a d'autres soucis que ces francs-tireurs...
Alors pourquoi il est là, lui ?

De qui tu parles ?
Tu me vois ?
Bin, de lui ! De l'envoyé...

Quel envoyé ?
Mais lui ! Tu le vois pas ?

Tu me vois et tu m'entends ?
Oui.
Oui, quoi

Ralph... Ça va ?

Je vais te raconter une histoire...

Eih, petit... Tu t'endors déjà ?

GKRiiii
!?

Hé !
GRKRiii

Des fouisseurs !!!
?!!!

Pose-toi, bourrique, au lieu d'essayer de te dévorer...

Désolé, Mathéo.

Tu auras une bonne gueule de bois en te réveillant mais ça ne te changera pas beaucoup...

Diable!
Il y tenait à son gamin pour lui fabriquer un ralentisseur de chute au cas où ...

Il est tout ce qui me reste.
Ma femme n'est plus et il est la seule chose qui me rattache à ce monde...

Ha...
C'est donc purement égoïste de votre part.
Je croyais que c'était de l'amour paternel.

Nous avons eu une fille avant ... Et elle a bleui aussi.

Un des vôtres l'a emmenée et on ne l'a jamais revue.
Ni eu de nouvelles...
Ma femme était inconsolable... Elle a déprimé des années...
5 ans plus tard, on a eu Ralph.
Mais ça n'a rien changé. Quand il a eu un an, elle est partie à Astolia pour avoir des informations.

Trois mois après, j'ai reçu une notification me signifiant son décès.

Trop triste, ton histoire ...
Tu devrais rejoindre ta femme ...

Désolé d'être si égoïste...

Ralph ?
Qu'est-ce que tu as ?

Tu as écrabouillé la tête de l'envoyé.
Tu l'as tué mais je l'ai vu !! Il m'a tout dit.
Je... Je ne suis jamais allé à Astolia ...
Qu'est-ce que tu racontes ?

Oui ...
Et nous t'avons détenu 10 jours dans le cabanon.
Milla ! Tais-toi !

Bastien, ça fait des années que je te demande de lui dire la vérité.
Les mouches qui sortent des cadavres s'éparpillent à travers le monde.
Milla !!!

Ne l'écoute pas. Elle dit n'importe quoi...

Regarde ce que je suis devenu à cause de toi...
Ralph... Laisse-moi t'expliquer.

Tu es un salaud ! Je te déteste ! Jamais je
POOOOMP !

C'est l'alarme !

Il t'aime sincèrement et profondément, Ralph...

Est-ce qu'on ment aux gens qu'on aime ?

Ramène-le au village, veux-tu ?

Apparemment, vous n'avez pas des réponses à la con pour toutes les questions.
Le vent épouse la forme du galet mais ne pénètre pas son cœur...

Je vous assure ! On n'a pas tenté de bloquer le passage.
Dites ce que vous voulez, vous l'aurez.

On veut toutes vos réserves de bouffe.
C'est d'accord.
On veut le nom de celui qui a décidé de bloquer l'accès.
C'est lui !
!

Et on veut 20 personnes en plus qu'on va massacrer.
Choisissez-les vite sinon on vous tue tous.

Toi, pépère, t'as même pas idée des tortures qu'on va te faire subir pour avoir tenté de nous entraver le chemin.

Gunthrö !
Embarque le vieillard au camp de base. Il servira d'exemple.
Non...

Qui a dit non ?

Personne n'a rien dit...
C'est lui qui a parlé... Et ce sera un des 20...
!!

Tu voulais être un héros, la crevette ?

Oh... Non, m'sieur... Je ne veux pas être un héros...
En fait, on savait que vous alliez venir et on vous avait organisé un buffet.
Tu sais, les mecs marrants, ils saignent comme les autres.

Mais ils couinent un peu plus avant de crever.
!?

C'est les méchants !!!

Hiiiii
KRAAK
?

Hiiiiiiiiiii
!
KRAAK
KRAAK
KRAK

KRAAK

Attrapez-les !!!

Hiiiiii

Hiiiiii

Bravo pour ton super-pouvoir, mais là, tu es en train de péter tout le village...

Ils sont là !

T'inquiète... On va s'en sortir...
Ça va trop grimper pour leurs montures...

Pied à terre !

Bouse !!!..

Prenez-les à revers !
Non !...

!!

On les tient !!!

C'est Raoul!
C'est mon fils!
!?
Aidez-nous!

Allez! Transformez-le en tas de chair...
?

?
!
?

On ne peut pas vous porter plus loin.
Nous sommes attachés à nos meurtriers.
Sauve notre fils, Ralph!

Saute!

Gh!

Wahou... T'as volé?!

Prenez les montures et contournez par le talweg, en haut de la gorge!!

Viens par là!
Ils ne pourront sans doute pas traverser la digue.
Sinon, on ira dans les grottes.

Là!
Ils arrivent
Ça va... On n'est peut-être pas repérés.

ENVOLE-TOI! VITE!
Chut !!!

ALLEZ! VOLE!
Chut !!!
KRAAK

VIIITE!
KRAKL

VOOOOOLE!
KRRRRR
KRAAKR

!!

On est bien débarrassés d'eux, hein ?

!!
Mon Père!
Il ne sait pas nager!

PLOF
PLAF PLOF
PLAF PLOF PLOTCH

On n'a pas retrouvé le corps de ton père...
Des tonnes de boue ont été charriées et ont tout enseveli...

Le village a perdu 4 familles avec l'effondrement des maisons...

Prenez ce qui vous intéresse ici... Mon père aurait été d'accord pour vous laisser ses affaires...

Merci, mais les souvenirs du cœur ont plus de valeur.
Debout, Raoul... On y va.

Prenez soin de vous...

Mon fils va s'engager dans l'armée. Il veut éradiquer Tom Syrus...
C'est un bon gars.
Oui... Tu as de la chance.

VLAM
Toc, toc!
!
?
!

Vous pouvez parler... J'écoute pas.
!!
?

Hé!
De quel droit tu te permets ?...
Du droit que je suis à la bonne hauteur pour lâcher un gros prout dans ta tête.

Je ne te permets pas, avorton!
D'ailleurs, on va te rattacher à un piquet immédiatement...
Je m'en vais à Astolia avec Raoul... On va appeler un envoyé...

Tu vas nulle part, petite merde.
Tut, tut... Un peu de calme.
Ralph, si tu pars, est-ce que tu nous permets l'usage de la maison de ton père?
Le charbon de bois qui restera, oui.

J'y ai mis le feu. Vous n'aurez rien.
!!
Sale enfoiré!
Hein?

Je vais te filer la raclée que tu mérites!
Raoul!

Hiiiiiii!
?

Pourquoi on ne va pas là-haut en volant?
Pour pas faire peur aux petits oiseaux.

C'est la deuxième fois que je pense ne plus jamais revoir le village.
Moi aussi...

Mais la première fois, j'étais un peu plus triste.
Moi, je sais pas...

Lewis Trondheim